D0283536

Mes parents sont gentils mais...

REJETE
DISCARD

Catalogage avant publication de Bibliothèque et Archives nationales du Québec et Bibliothèque et Archives Canada

Vachon, Hélène, 1947-

   Mes parents sont gentils mais... tellement débranchés!

   (Mes parents sont gentils mais...; 13)
   Pour les jeunes de 10 ans et plus.

   ISBN 978-2-89591-097-8

   I. Rousseau, May, 1957-   . II. Titre. III. Collection: Mes parents sont gentils mais...; 13.

PS8593.A37M472 2010   jC843'.54   C2009-942731-1
PS9593.A37M472 2010

Correction et révision: Annie Pronovost

Tous droits réservés
Dépôts légaux: 1er trimestre 2010
Bibliothèque nationale du Québec
Bibliothèque nationale du Canada

ISBN: 978-2-89591-097-8

© 2010 Les éditions FouLire inc.
4339, rue des Bécassines
Québec (Québec) G1G 1V5
CANADA
Téléphone: 418 628-4029
Sans frais depuis l'Amérique du Nord: 1 877 628-4029
Télécopie: 418 628-4801
info@foulire.com

Les éditions FouLire reconnaissent l'aide financière du gouvernement du Canada par l'entremise du Programme d'aide au développement de l'industrie de l'édition (PADIÉ) pour leurs activités d'édition. Elles remercient la Société de développement des entreprises culturelles du Québec (SODEC) pour son aide à l'édition et à la promotion.

Gouvernement du Québec – Programme de crédit d'impôt pour l'édition de livres– gestion SODEC.

Les éditions FouLire remercient également le Conseil des Arts du Canada de l'aide accordée à leur programme de publication.

IMPRIMÉ AU CANADA/PRINTED IN CANADA

HÉLÈNE VACHON

Mes parents sont gentils mais...

TELLEMENT DÉBRANCHÉS!

Illustrations
May Rousseau

Roman

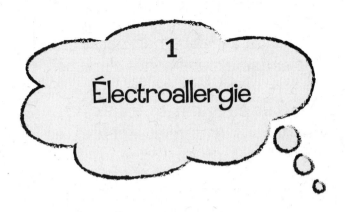

1

Électroallergie

Hier soir, la maison a pris feu. Enfin, non, pas *toute* la maison. Seulement la cuisine et encore, pas *toute* la cuisine, seulement un coin, le coin où se trouvent la bouilloire, le grille-pain, la cafetière, les épices et, de temps en temps, Edison, notre chien asthmatique.

L'auteur de ce début d'incendie? Nulle autre que Rachel, ma mère. On était en train de souper et ma mère faisait griller des rôties. À cause de son métier, elle voyage énormément et passe le plus clair de son temps sous l'effet du décalage horaire, situation qui entraîne toutes sortes d'imbroglios, le pire étant que ma mère confond, avec une régularité troublante, le matin avec le midi et le midi avec le soir. Le matin, elle nous propose ce qu'on mange d'ordinaire le midi : du fromage, des pâtés, des charcuteries, des viandes froides, des salades. Le midi, elle confectionne de solides repas – potage, viande, poisson ou pâtes – qu'elle déguste seule, parce qu'elle a tendance à oublier que, le midi, mon père, mon frère et moi sommes absents. Le soir, eh bien le soir, neuf fois sur dix on s'attable tous les quatre devant un copieux petit-déjeuner : pain grillé, croissants, brioches. Quand on en a un peu assez de déjeuner au coucher du soleil, on s'offre les restes du midi, de bons restes mais des restes tout de même. Et froids.

Elle était donc seule dans la cuisine, en train de faire des rôties, quand le grille-pain a sauté. Aucun appareil électrique ne résiste plus de deux ou trois semaines à ma mère. Ou elle ne saisit pas bien le mécanisme ou elle est distraite, ce qui serait normal à cause du décalage. En présence d'un ustensile chauffant, vous pouvez être certain qu'elle n'hésitera pas une minute à poser la main là où c'est chaud et passera de longues secondes à fixer, sans la toucher, la poignée parfaitement froide de l'ustensile en question. Le même malentendu persiste avec la plupart des appareils électroménagers de la maison et la majorité des engins normalement destinés à nous simplifier la vie.

Mais revenons au grille-pain. Un grille-pain est un objet inoffensif au fonctionnement simple dont même un chien asthmatique vient à bout. Raphaël ou moi déposons une ou deux tranches de pain dans les sections prévues à cet effet, Edison nous consulte du regard pour savoir si nous préférons nos rôties livides, bronzées ou légèrement carbonisées (le réglage n'a plus aucun secret pour lui), il enfonce la petite manette pour mettre le dispositif en marche et il attend (il serait tout disposé à déposer les rôties dans nos assiettes si mon père ne s'y opposait à cause de l'hygiène, concept fumeux s'il en est). Ces menues opérations sont totalement indolores et s'effectuent à notre insu, sans que nous ayons à surveiller quoi que ce soit. Eh bien, ma pauvre mère n'y arrive tout simplement pas. Elle glisse deux tranches de pain dans les compartiments, abaisse le petit levier pour les faire descendre et... rien ne remonte. C'est chaque fois la même chose. Nous, on fait comme si de rien n'était, on regarde ailleurs, on transpire, on compte les secondes, on implore le ciel que le fichu grille-pain fasse entendre son petit déclic familier et libère, comme prévu, deux tranches de pain grillées à point. Nos attentes sont presque toujours déçues. Passé le délai normal, l'un de nous, Edison généralement, déverrouille la manette, ce qui suffit à débloquer l'engin, à prendre de vitesse le détecteur de fumée et à remettre à plus tard la venue des pompiers.

En de pareilles occasions, Raphaël me regarde, l'air consterné, son petit visage blanc hésitant entre l'embarras et la honte.

– Je sais bien que les mères en général, c'est pas habile, habile avec l'électronique, me souffle-t-il à l'oreille, mais tout de même...

– C'est parce que notre mère n'est pas une mère en général, Rapha.

Il hoche la tête, à moitié convaincu, ses grands yeux sombres posés sur moi.

– Ben moi, des fois, j'aimerais bien avoir une mère en général.

Laurent, mon père, est affecté du même handicap mais, dans son cas, il se traduit de façon différente. Avec lui, les appareils ne se révoltent pas comme ils le font avec ma mère. Pas de rôties brûlées, pas de cafetière qui déborde, pas de linge entortillé dans la machine à laver, pas de mouchoirs coincés dans le tuyau d'évacuation. Non. Mon père procède de façon plus insidieuse, plus subtile. Avec lui, tout s'éteint, tout meurt, souvent dans le plus grand silence et avec une sorte d'humilité, je dirais, comme si chaque appareil actionné par la main de mon père savait instinctivement que la partie est perdue d'avance et qu'il est inutile d'essayer.

À eux deux, Laurent et Rachel forment une équipe redoutable. Au moment où je vous parle, notre lave-vaisselle est en panne, la radio refuse de changer de poste, le grille-pain ne fonctionne que d'un seul côté et le séchoir à cheveux aspire les cheveux au lieu de les sécher.

Vous aurez compris, j'imagine, qu'au lieu de nous simplifier la vie, la plupart des appareils ménagers de la maison s'emploient à nous la compliquer. Si j'ajoute à cela le fait que cette maison est quasi quotidiennement envahie par des électriciens, plombiers, dépanneurs de tout acabit, vous aurez une petite idée de l'effervescence qui y règne.

Je tiens à apporter ici une précision : *mes parents sont des êtres totalement intelligents et compétents* (dans leur domaine respectif, évidemment !). Je ne voudrais surtout pas qu'on aille s'imaginer que, sous prétexte qu'ils entretiennent des rapports houleux avec la technologie, ils sont handicapés. Ce n'est absolument pas le cas. Je suis toujours très fier de ma mère et de mon père, dès l'instant où ils ne se mettent pas en tête de recourir aux engins destinés au confort moderne. En dehors de la maison, en voyage, par exemple, au restaurant, en visite ou en représentation, ce sont des gens normaux et totalement inoffensifs.

Laurent est archéologue et Rachel restaure des œuvres d'art. Des sculptures, essentiellement. Les plus grands musées du monde font régulièrement appel à elle pour remettre en état des œuvres flétries ou abîmées par le temps. Comme elle a un certain flair, ma mère a très vite remarqué que l'avenir était dans le nez, que le nez traverse mal les siècles et se trouve presque toujours cassé ou fracassé, quand il n'est pas carrément absent. Elle passe donc l'essentiel de son existence à remodeler des pifs plausibles en s'inspirant des nez contemporains du nez manquant et des courants esthétiques de l'époque.

Mon père est un archéologue reconnu moins pour ses fouilles que pour *sa* grande trouvaille. J'oublie ici les cuillères, couteaux, pointes de flèche et débris de pot que tout archéologue digne de ce nom déterre un jour ou l'autre. La grande réussite de Laurent, sa seule, devrais-je dire, c'est d'avoir trouvé un pied, mais pas n'importe lequel: le pied gauche fossilisé d'un dilophosaurus, grand dinosaure théropode apparu au début du jurassique. Il n'en est d'ailleurs jamais revenu. Après avoir découvert le pied en question, il a cessé de voyager. Il s'est fossilisé comme son pied et il est devenu professeur.

Ma mère et mon père étaient donc faits pour se comprendre. Tous deux s'intéressent aux pièces manquantes. Mais ils ne se sont pas rencontrés à l'occasion d'une fouille où mon père aurait déterré un nez. Ils ont fait connaissance en pleine ville, devant un parcomètre dans lequel Laurent, douloureusement conscient de ses prédispositions particulières, hésitait à introduire une pièce. Un agent de police s'était approché :

– Le parcomètre est brisé ?

– Pas encore, avait rétorqué mon père, lugubre.

Croyant à une plaisanterie, l'agent s'était penché pour examiner l'engin.

– Il fonctionne très bien, ce parcomètre.

– Sans doute.

– Alors qu'est-ce que vous attendez ?

– J'hésite.

Pressé par le devoir et un tas de préjugés, l'agent de police s'était redressé.

– Si vous continuez à hésiter comme ça, cher monsieur, et si vous ne déposez rien dans ce parcomètre d'ici dix secondes, sachez que moi, je n'hésiterai pas à vous donner une contravention.

Mon père l'avait regardé en souriant.

– Comme vous voudrez.

Et ce qui devait arriver était arrivé.

Laurent s'était approché du parcomètre et y avait glissé une pièce de 25 cents. Le parcomètre avait émis une longue plainte métallique avant de bloquer tout net. L'agent avait ouvert deux yeux ronds.

– Vous ne pourrez pas dire que je ne vous avais pas prévenu, avait déclaré mon père, en apposant sur le parcomètre un petit collant jaune indiquant *Hors d'usage*.

Il en gardait toujours une réserve dans sa voiture.

L'agent s'était approché du parcomètre et lui avait assené un vigoureux coup de pied, autant pour se défouler que pour débloquer l'engin et faire descendre la pièce. Peine perdue. Le parcomètre était resté de marbre.

Ce que mon père ignorait, c'est que ma mère assistait à la scène, les yeux ronds, elle aussi. Elle qui se croyait seule de son espèce, handicapée mécanique chronique, voilà qu'elle avait devant elle un jumeau, un double aussi doué qu'elle. Après le départ de l'agent, elle s'était approchée de mon père.

– Vous voulez refaire ça pour moi? lui avait-elle demandé en lui glissant une pièce de deux dollars dans la main.

– Volontiers.

Hoquet métallique, syncope, silence. Mon père avait apposé un autre collant jaune sur le deuxième parcomètre désormais en panne.

Ils se plurent tout de suite et se fréquentèrent assidûment. Le jour où Laurent vint passer une première nuit chez Rachel, la véritable nature de ma mère, c'est-à-dire une prédisposition au sabotage à peu près aussi patente que celle de mon père, se révéla au grand jour. Premier matin, premier café. La veille, ma mère avait fait l'acquisition d'une cafetière à pression, dans l'intention louable de plaire à mon père qui adore l'expresso. N'ayant évidemment pas lu le mode d'emploi (et même si elle l'avait lu!), ma mère avait hésité de longues minutes devant la cafetière toute neuve. Puis elle avait regardé mon père.

– À toi l'honneur, avait-elle proposé.

– L'honneur de quoi, exactement?

– De bousiller la cafetière, voyons.

– Pas sans toi.

– D'accord.

Et c'est ainsi qu'ils détraquèrent leur premier objet. Pour fêter l'événement, ils se ruèrent sur le premier café trouvé et décidèrent illico de vivre sous le même toit. Sabotage pour sabotage, aussi bien continuer à saboter ensemble. Ils vécurent heureux, eurent de nombreuses pannes et deux garçons, Raphaël, 8 ans, et moi, Manuel, 14 ans.

Manuel et Raphaël Brûlé-Sansoucy.

– Manuel. Ce prénom-là nous plaisait, m'ont-ils confié un jour. On aime tout ce qui est manuel, comprends-tu? On déteste l'automatique, le mécanique, l'électrique.

Entre deux nez, ma mère est tombée enceinte pour la seconde fois.

– Pour ton frère ou ta sœur, on voudrait un prénom qui rappelle un peu nos métiers respectifs, avait décrété Rachel.

– Ce qui veut dire? avais-je demandé, en proie à une panique bien légitime.

– Si c'est une fille, nous l'appellerons Prêle, Calamite ou Argile. Si c'est un garçon, Kaolin, Azilien ou Pétrarque, tu sais bien, l'humaniste qui a tant aidé l'archéologie…

– Pas question !

Regard surpris échangé entre mes deux hurluberlus de géniteurs.

– Pas question de donner le biberon à Calamite ou de changer la couche de Kaolin. Mon frère ou ma sœur s'appellera Raphaël, ça marche dans les deux cas.

Regard étonné échangé entre mes deux inconscients de géniteurs.

– C'est joli, avait reconnu ma mère.

– Raphaël est un grand peintre, avait renchéri mon père.

– Et nous devons ab-so-lu-ment avoir un chien, avais-je poursuivi sur ma lancée. Ne serait-ce que pour alerter les voisins, la police ou les pompiers si quelque chose ou *quelqu'un* met la vie de Raphaël-Raphaëlle en danger.

Troisième et dernier regard, consterné celui-là, échangé entre mes deux insouciants de géniteurs.

– Nous l'appellerons Edison, avais-je décrété.

– Pourquoi pas ? avait dit ma mère.

– L'inventeur de la lampe électrique à incandescence.

– Un type pas fiable, avait conclu mon père.

2
Brise-fer
ou magiciens ?

Débranchés, électro-déficients, mésadaptés mécaniques, mécano-phobes allergiques aux boutons... mes parents sont tout ça, mais je peux dire qu'au total, nous formons une famille unie. Je ne vois d'ailleurs pas comment il pourrait en être autrement. Unis nous sommes, unis nous devons rester. Parce qu'en présence de géniteurs aussi peu portés sur la modernité, mon frère et moi travaillons d'arrache-pied pour faire de la maison un lieu sûr et de notre séjour sur Terre une aventure empreinte de sérénité et de bonne humeur. Nous avons donc mis au point une répartition rationnelle des tâches en fonction des inaptitudes de Rachel et de Laurent.

À 6 heures, je me lève et je prépare le café. Quand je prends Rachel de vitesse ou quand elle est en voyage, je nous confectionne un vrai petit-déjeuner avec du pain, du beurre, des œufs et des céréales. Dans le cas contraire, c'est reparti pour le fromage, les pâtés, les viandes froides et les salades. Les jours où ma mère est à la maison, je lui demande ce qu'elle compte préparer pour le midi et règle le four en conséquence. Ces jours-là, Edison est de corvée. Je lui ai appris à appuyer sur la touche 1 du téléphone, programmée pour alerter le poste de pompiers le plus proche de chez nous. Depuis, Edison fait une véritable fixation sur les téléphones, il les couve du regard quand il ne s'allonge pas carrément dessus, ce qui nous cause toutes sortes d'embêtements.

À 7 h 30, mon père nous conduit à l'école. C'est gentil mais un peu inutile, puisque je pourrais conduire moi-même mon frère. Mais je laisse faire Laurent parce que cela lui fait plaisir, et à nous aussi. C'est une sorte de moment privilégié où nous nous retrouvons tous les trois à discuter, sans qu'aucun désagrément d'ordre électrique ou mécanique ne vienne troubler notre quiétude.

Quand nous rentrons de l'école, vers 16 h 30, je prépare un vrai souper, avec de la viande et des légumes (à moins que Rachel soit déjà en train de faire brûler du pain!).

Mon père et ma mère se relaient pour aider Raphaël dans ses devoirs. La directrice dit qu'il est un peu distrait en classe et qu'il n'arrête pas de poser des questions à ses camarades sur leurs parents : s'ils ont une voiture, si elle fonctionne, s'ils ont un ordinateur, s'il fonctionne, s'ils mangent des rôties le matin, si les rôties sont mangeables, etc.

Pauvre Raphaël ! Ce qu'il a dû endurer depuis sa naissance ! Sa déception à chacun de ses anniversaires. Tous ces jouets défectueux ! Chaque année, mes parents insistaient pour acheter eux-mêmes le cadeau. Comme l'entreprise se soldait chaque fois par une quasi-catastrophe, j'ai offert de me charger de l'opération, ce que je fais depuis deux ans. Les convaincre n'a pas été une mince affaire.

– Rappelez-vous Noël dernier. Son robot ne fonctionnait pas, il a pleuré toute la soirée. Ça vous dit de revivre l'expérience?

– Hasard, avait protesté mon père en haussant les épaules. Beaucoup de jouets arrivent défectueux au magasin. Je n'avais même pas ouvert la boîte pour être bien certain de ne rien briser.

– Non, mais c'est toi qui as acheté les piles pour faire fonctionner le fichu robot, c'est encore toi qui as ouvert la boîte le soir de Noël...

– Pas du tout, c'est Raphaël.

– Mais c'est toi qui as installé les piles.

– Non, c'est moi, était intervenue ma mère.

– Pareil, avais-je dit. Quand il s'agit de détraquer quelque chose, vous deux, c'est pareil.

Soupirs parentaux. Je revoyais la scène. Le désastre ! Le robot avait fière allure, noir avec des rayures dorées, entièrement téléguidé. Rachel avait inséré les deux piles dans le boîtier et, bien sûr, tout était allé de travers. Le robot avait fait un pas de côté puis s'était enfargé dans l'autre jambe avant de piquer du nez. Croyant arranger les choses, Laurent s'était emparé du boîtier en prétendant que les piles étaient mal installées.

– Ben voyons ! avait protesté Raphaël. Si elles étaient mal installées, les piles, il bougerait même pas, mon robot.

– Tss, tss, avait fait mon père, ignorant l'élémentaire bon sens de son rejeton.

D'une main très sûre, il avait retiré les piles pour les replacer autrement. Nouvel essai, nouvel échec. Le robot n'avait pas eu un soubresaut. Prostré face contre terre, désespérément inerte. À bout de patience, mon père avait empoigné le robot pour le redresser.

– Arrête! avait crié mon frère. Ça marche pas comme ça, tu vas le casser!

On avait eu beau replacer les piles au moins dix fois, le robot persistait dans son immobilité et son attirance pour le plancher. L'air désolé de Raphaël, le petit menton qui tremble, ses yeux remplis de larmes levés vers moi, son frère, son sauveur qui d'habitude remédie aux défaillances parentales, mais là, non, je n'avais rien pu faire.

– Pourquoi? Mais pourquoi j'ai toujours des jouets brisés en cadeau?

Je l'avais pris contre moi pour le consoler.

– On ira le changer demain, si tu veux.

– Ça servira à rien. Il va se détraquer en remettant les pieds ici.

– Ils font ce qu'ils peuvent, Rapha.

Il s'était éloigné, indigné, comme si je les défendais. J'avais pris mon air mystérieux.

– C'est à cause de leur pouvoir, tu sais.

– Leur pouvoir ? Quel pouvoir ?

Je lui avais fait signe de s'approcher.

– Nos parents ont un pouvoir magique...

Raphaël s'était essuyé le nez sans rien dire.

– ... il y a en eux une forme d'énergie difficile à expliquer... C'est comme une force subtile qui émane du cosmos et qui a pour effet de... de...

Seigneur ! Dans quel guêpier étais-je en train de me fourrer ?

– De quoi ?

– De… eh bien, de modifier la structure des objets, des appareils…

Raphaël avait ouvert ses deux mains en signe d'impuissance.

– Ils modifient pas, ils détraquent. C'est ça, leur pouvoir?

– Ils détraquent pas tout le temps, t'exagères.

– Pas tout le temps? Cette année, c'est le robot, l'an dernier, c'était le jeu vidéo et l'année d'avant, c'était mon boulier compteur. Un boulier compteur, Manu! C'est même pas de la mécanique, ça. C'est juste un cadre en bois avec des boules qui glissent sur une tige de métal. Ben, même ça, ils l'ont brisé.

Contre-performance assez particulière, en effet. Tout à coup, j'ai eu une idée lumineuse.

– Imagine si, un jour, ce pouvoir-là était utilisé pour une cause noble !

– C'est quoi, une cause noble ?

– Ben… si nos parents arrivaient à mettre au jour un complot international pour détruire la Terre, par exemple…

Regard sceptique de Raphaël.

– Pas besoin d'un complot international pour détruire la Terre, ils font ça chaque jour, nos parents.

– Mais s'ils devenaient des héros en sabotant les appareils mis au point pour détruire la planète…

Raphaël a froncé les sourcils en réfléchissant intensément. Puis il a secoué la tête.

– Ils pourraient jamais. Ils saboteraient peut-être des trucs, mais pas à cause du complot, ils sauraient même pas qu'il y a un complot.

Il n'avait pas tort. Mais, sapristi, comment réhabiliter des parents un peu spéciaux aux yeux d'un enfant de huit ans?

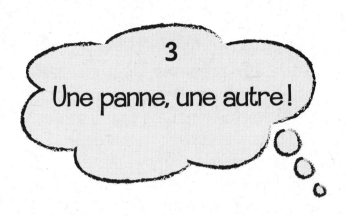

3

Une panne, une autre !

Ce matin, panne générale du système informatique des Caisses populaires de l'arrondissement Gouin-La Gourette. Six caisses au total. Toutes inactives. Impossible d'effectuer des retraits, de payer ses factures... rien. Panne totale.

Mes parents sont clients des Caisses populaires de l'arrondissement Gouin-La Gourette. En personnes responsables et handicapées par vous savez quoi, ils évitent généralement de faire usage de leur carte bancaire, préférant s'en remettre aux êtres animés, c'est-à-dire aux préposés, pour effectuer leurs opérations. Ma mère a renoncé à utiliser les guichets automatiques après avoir essayé au moins douze fois d'insérer sa carte dans la fente prévue à cet effet. Les douze fois, la carte a tout bonnement été expulsée de l'engin et propulsée dans les airs avec une force que les clients qui faisaient la queue derrière elle ont jugée *inhabituelle*. La douzième fois, la carte a atterri dans le chapeau d'une vieille dame qui attendait paisiblement son tour. Ça a été toute une histoire pour la récupérer. Le chapeau en question était garni d'une épaisse broussaille de fleurs exotiques et la dame refusait absolument que l'on fouille dans sa flore.

Fort de son expérience un peu particulière avec les parcomètres, mon père, qui ne voulait pour rien au monde priver ses voisins d'un service précieux, ne s'est jamais risqué à utiliser sa carte.

Toujours est-il qu'aujourd'hui, il y a de l'impatience dans l'air. L'été est revenu, avec les vacances, il fait beau, il fait chaud. Mais les gens sont contrariés et regagnent leur maison en maugréant. Des voisins s'arrêtent devant leur porte : « Ah ! Vous aussi, vous arrivez du guichet ? En panne, oui. On a beau dire, ça ne marche pas toujours, leur truc ! »

Chez nous, l'air est chargé aussi. Ma mère se prépare à partir pour la Papouasie où on a trouvé, paraît-il, « une statuette en cuivre d'une grande valeur miraculeusement préservée des outrages du temps ». Penchée sur sa valise, elle hésite entre un chandail en laine et un chandail en coton.

– Elle a son nez ? demande Raphaël.

– Qui donc ? fait distraitement ma mère.

– Ben, la statuette en cuivre d'une grande valeur miraculeusement préservée des outrages du temps.

– Pas de nez, non.

– Alors pourquoi tu dis qu'elle est miraculeusement préservée?...

– C'est tout ce qui lui manque, le nez, l'interrompt sèchement ma mère.

– Ben moi, si j'avais pas mon nez, je dirais jamais que je suis miraculeusement préservé des outrages du temps. Tu reviens quand?

– Dans un mois.

– Pourquoi pas avant? C'est juste une statuette. Une statuette, ça doit avoir un petit nez, c'est pas comme une statue, ça peut pas avoir un gros nez. Ça prend pas un mois pour refaire un petit nez.

Quand mon frère se fait aussi lourdement insistant, c'est qu'il y a de l'orage dans l'air.

– Et puis, ce serait pas toi, par hasard, qui aurais saboté la banque?

Ma mère se redresse d'un coup et nous regarde.

– Je ne suis pas responsable de tout ce qui se brise dans le monde! déclare-t-elle d'un ton définitif.

– Dans le monde, peut-être pas, mais à la maison, oui!

Il hoche la tête, l'air satisfait, comme s'il venait de se débarrasser d'un lourd fardeau.

– Et si tu brises tout à la maison, pourquoi tu briserais pas tout ailleurs? Hein?

Ma mère vient s'asseoir sur le lit et l'attire vers elle en lui ébouriffant les cheveux.

– J'évite les guichets comme la peste, tu le sais bien.

– Es-tu allée ce matin?

– Négatif.

Il attrape son sac à main, en sort un portefeuille gonflé à bloc.

– C'est bourré d'argent.

– Bien sûr.

– Ça vient d'où?

– De la caisse. Avant-hier, Raphaël. Une avance qu'ils m'ont consentie là-bas, en Papouasie, pour couvrir les frais de déplacement.

Il la regarde droit dans les yeux avant d'ajouter, la mine sombre:

– Je comprends. Eux aussi, ils se méfient, là-bas. Ils préfèrent t'envoyer l'argent ici pour pas que tu bousilles leurs banques.

– C'est sûrement ça.

Mon père est rentré sur ces entrefaites.

– Le service sera rétabli dans la journée. C'est ce qu'ils disent. Tout de même, a-t-il ajouté en se frottant les mains de contentement, à force de tout informatiser, plus rien ne fonctionne. C'est marrant.

Ma mère partie, la journée s'est déroulée normalement, si j'excepte le pain grillé pas grillé (j'avais déposé le pain du mauvais côté du grille-pain) et mon t-shirt encore humide (la sécheuse ne sèche plus qu'à l'air froid).

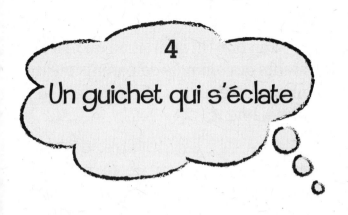

4

Un guichet qui s'éclate

En rentrant du terrain de jeux avec Raphaël, j'ai aperçu une voiture noire stationnée dans l'allée.

– C'est forcément la police, a décrété mon frère. Il fallait s'y attendre. On peut pas passer son temps à démolir sans jamais aller en prison.

Il a saisi ma main.

– Tu crois qu'ils vont nous mettre dans un foyer ?

– Un foyer ? Comment ça, un foyer ?

– Ben oui. Un endroit où on met les enfants qui ont plus de parents ou qui ont des parents qui fonctionnent pas normalement.

La porte s'est ouverte, un gros monsieur est sorti de la maison, accompagné de Laurent. Ils se sont serré la main. Du menton, Raphaël a désigné mon père.

– Vous l'emmenez pas en prison ?

Le monsieur s'est penché vers lui.

– Pourquoi je l'emmènerais en prison ?

Raphaël l'a regardé comme s'il était lent à comprendre.

– Ben… il brise tellement de choses, des jouets, des parcomètres, des…

– Au revoir, monsieur, l'a interrompu Laurent. Si vous avez besoin de moi, je suis à votre disposition.

L'homme nous a salués et s'est dirigé vers sa voiture. J'ai donné une bourrade à mon frère.

– C'est pas nécessaire de raconter n'importe quoi à n'importe qui!

– C'est pas n'importe qui, c'est la police.

J'ai rejoint Laurent dans la maison.

– Et puis, c'est pas n'importe quoi, a murmuré Raphaël, c'est la vérité.

– Il venait au sujet de la panne, nous a expliqué Laurent. Personne n'arrive encore à comprendre ce qui l'a déclenchée. Mais il semble qu'elle se soit produite au guichet où s'est rendue Rachel.

– Je pensais qu'elle allait jamais au guichet, a bougonné Raphaël.

– Elle y est allée la veille de son départ, apparemment. On a pu l'identifier grâce à la caméra de surveillance. Elle avait tellement de choses à faire et elle était tellement pressée, a ajouté Laurent, comme pour excuser Rachel.

Tellement de choses à faire, oui. Des trucs à acheter à la pharmacie, des vêtements à rapporter du nettoyeur, des comptes à payer... Des factures... Ma mère a tendance à laisser traîner ce genre de corvées. Je l'imagine, les bras chargés de paquets, passant près du guichet, ralentissant, repartant, s'arrêtant. Il est tard, il n'y aura personne, personne pour assister à sa déconvenue si le guichet fait encore des siennes. « Pourquoi pas moi ? a-t-elle dû se dire. Pourquoi je ne m'essaierais pas une fois encore ? Je suis tellement pressée. » Je la vois, oui, hésitante, chargée comme un mulet, hâtant le pas pour rentrer à la maison mais bifurquant à la dernière minute, louvoyant vers le guichet. Ce regard qu'elle a dû lui adresser! Et ces menaces: «T'es mieux de fonctionner, cette fois, saleté de guichet, sinon…» Sinon quoi? Sa carte introduite d'une main tremblante, coupable (il n'y a rien comme la culpabilité pour détraquer des machines), le message qui se fait attendre, la carte expulsée et le message, pas celui qu'elle attend, non, l'autre, celui qui dit que rien ne va plus, que, désolé, le guichet est hors d'usage, revenez plus tard.

– La panne, c'est forcément elle, a déclaré Raphaël.

Mon père s'est mis à rire.

– Voyons, Rapha. Tu ne penses tout de même pas que Rachel y est pour quelque chose?

– Elle va jamais au guichet et là elle est allée. Le guichet a pas supporté.

– Elle ne vous a rien dit de particulier le matin de son départ?

– Elle avait juste son air contrarié des grands jours. C'est normal quand on vient de détraquer un réseau de caisses au grand complet.

Laurent a soupiré.

– Il n'y a pas que ça. Il y a eu un vol, aussi. À peu près au moment de la panne et...

– ... et au guichet où se trouvait Rachel, a poursuivi Raphaël. Comme par hasard!

Ce que Rachel ignorait sans doute, là-haut dans l'avion qui la conduisait en Papouasie après 48 heures de vol et d'escales éreintantes pour rafistoler un nez, c'est que le système informatique des Caisses populaires de l'arrondissement Gouin-La Gourette ne s'était pas contenté de tomber en panne. Le fameux guichet avait décidé de s'éclater, lui aussi. Quelques secondes après le départ de Rachel, il avait vomi tout son contenu: des masses de billets de 20 dollars répandues par terre.

— Mais ce que l'inspecteur ne comprend vraiment pas, c'est pourquoi le système d'alarme ne s'est pas déclenché.

Raphaël nous a toisés avec mépris.

— Voyons! C'est elle qui l'a fait tomber en panne, le système. Elle fait pas les choses à moitié, Rachel. Si elle bousille le réseau, pourquoi elle épargnerait le système d'alarme?

Laurent a levé les yeux au ciel.

– C'est tout, Raphaël?

– Non.

– Quoi d'autre?

– Son portefeuille.

Les derniers mots avaient été prononcés à mi-voix.

– Quoi, son portefeuille?

– Il fermait plus tellement il était bourré.

– C'est normal, ta mère partait pour un mois.

– D'habitude, on emporte une carte, pas des billets, a explosé mon frère. Tous les parents font ça. Ceux de mes amis, en tout cas. Je le sais, je leur ai demandé. Mais pas Rachel. Rachel se balade avec un portefeuille plein à craquer, ce qui fait qu'elle attire les voleurs, les tueurs en série, les Mangemorts, les Orques, les Gobelins, les…

– Oh! Oh! Doucement, Rapha. Ta mère a le droit de ne pas aimer les cartes.

– C'est plutôt les cartes qui l'aiment pas!

Il a baissé la tête, comme si tous les malheurs du monde allaient s'abattre sur notre famille. Mon père s'est approché de lui.

– Qu'est-ce qui te tracasse?

Puis la lumière s'est faite.

– Tu ne penses tout de même pas… a commencé Laurent.

Il n'a pas poursuivi, c'était trop absurde.

– Pourquoi pas? a rétorqué mon frère. Elle est tellement bizarre. Je dis pas qu'elle le ferait exprès, mais elle pourrait voler comme ça, sans s'en rendre compte, par distraction. À cause de son fichu décalage, elle est toujours un peu à côté de ses pompes.

– 10 800 dollars ? Elle pourrait voler 10 800 dollars par distraction ?

Mon frère n'a pas hésité une seconde.

– Ouais. Elle pourrait.

– Eh bien, je suis heureux de t'apprendre qu'elle n'y est pour rien, a dit Laurent. Parce que si on a pu identifier Rachel grâce à la caméra de surveillance, on a aussi vu que, quand l'argent est tombé, elle n'était plus là. Et puis, il semble qu'il y avait une autre personne derrière elle. Une vieille femme, à ce qu'il paraît. L'image n'est pas claire. On pense que c'est elle qui a pu commettre le vol.

Il a fait une pause.

– Une vieille femme ? ai-je demandé. Ce serait surprenant.

– Un voleur déguisé, peut-être, a concédé mon père. Peut-être le dénommé Moisan.

– Le bonhomme qui arrache les guichets et se sauve avec ? a demandé Raphaël.

– Peut-être. La police n'est pas certaine.

Dieudonné Moisan. Le type qui arrache les guichets, comme dit Raphaël. Avec un complice motorisé, il fait irruption dans un guichet, ceinture l'engin à l'aide d'un câble fixé à la camionnette et l'arrache de son socle. Tout ça en moins de dix minutes. Avant, il procédait comme les voleurs habituels, il sabotait les guichets, bloquait les cartes des clients sous prétexte de leur venir en aide, mémorisait les NIP, etc. À présent, au lieu de voler les clients, il vole les guichets.

– Il paraît qu'il a toutes sortes de déguisements sophistiqués et que c'est pour ça qu'il est difficile à reconnaître. C'est ce que l'inspecteur était venu me dire. Il voulait parler à Rachel. Il pense qu'elle a pu être témoin de quelque chose.

– Elle nous en aurait parlé, si ça avait été le cas, ai-je objecté.

– C'est ce que j'ai dit à l'inspecteur.

– Si Rachel était plus là quand l'argent est tombé, comment elle aurait pu être témoin de quelque chose ? a fait remarquer Raphaël.

– Elle a peut-être vu la dame, Rapha. Avant de quitter le guichet, Rachel s'est peut-être tournée vers elle, elle pourrait peut-être en faire une description.

Tournée vers elle pour s'excuser, oui : « Désolée, le guichet est bloqué, je suis désolée… » Son pauvre sourire, son haussement d'épaules, sa fuite, son retour à la maison. Et son impatience…

– À quoi ça servirait de décrire la dame ? insistait Raphaël. Le voleur était déguisé.

– Elle pourrait décrire son déguisement.

– À quoi ça servirait de décrire son déguisement ? Tu penses quand même pas qu'il va mettre le même deux fois ! Il est pas stupide.

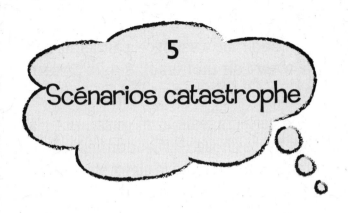

5

Scénarios catastrophe

Le service a été rétabli mais les enquêteurs cherchent toujours le voleur. Et le responsable de la panne.

Raphaël réfléchissait, les sourcils froncés. Nous étions seuls.

– Ça se peut pas, un bandit déguisé en femme.

– Pourquoi pas ? Une vieille dame, c'est inoffensif, ça se remarque pas, personne ne s'en méfie.

Il secoue la tête, déçu.

– Ben moi, à sa place, j'aimerais pas ça, avoir l'air inoffensif. À quoi ça sert, un bandit qui fait pas peur?

Je réfléchissais, moi aussi, mais à tout autre chose. Si Dieudonné Moisan était vraiment là, ce fameux soir, c'était sans doute pour examiner les lieux avant de revenir arracher le guichet. Rachel s'était donc trouvée en présence d'un voleur professionnel, c'est sous ses yeux qu'elle avait exécuté toutes ses savantes manœuvres avant de déclarer forfait.

– Si elle l'a pas vu, *lui* l'a vue, ai-je murmuré.

– Qu'est-ce qu'il a vu?

– Rachel, voyons! Elle, elle l'a peut-être pas bien vu, mais lui, il a eu tout le temps de la voir.

Et pas seulement vue. Regardée, aussi. Avoir devant soi une mystérieuse experte en sabotage qui réussit, en une seule opération, sans déclencher le système d'alarme, à mettre un guichet hors circuit...

– Ça, c'est certain, jacassait Raphaël. Elle prend tellement son temps pour tout. Un mois pour un petit nez de rien du tout. Rien que pour essayer de faire entrer sa carte dans le guichet, elle a dû rester au moins dix minutes. Tu parles qu'il l'a vue !

Il l'avait regardée, oui, il l'avait peut-être suivie des yeux quand elle était sortie. Et puis, ce miracle. Ce déclic soudain, le guichet qui émet un long, un interminable beuglement avant de régurgiter son contenu. Comment ne pas faire le lien entre la manœuvre de ma mère et cette cascade de billets libérés comme par enchantement ? Comment ne pas se précipiter dehors pour voir où habite cette magicienne ? Et devant quelqu'un d'aussi généreux que ma mère – une experte qui quitte les lieux sans réclamer le magot! –, quel voleur ne chercherait pas à la retracer, la menacer peut-être, pour tirer profit de ses talents particuliers? Pour l'obliger à refaire la même chose, un peu comme elle l'avait fait avec le parcomètre de mon père?

– Mais, si c'est ça qui s'est passé, a dit soudain Raphaël en levant la tête, elle est en danger, Rachel.

– Exact. Tant qu'il n'est pas sous les verrous, Machinchouette Moisan peut se mettre en tête de la suivre et de la soudoyer pour saboter d'autres guichets.

Silence.

– Il pourrait pas, a soupiré Raphaël après un moment, elle est pas là.

– Mais nous, on y est.

– Oui, mais nous, on n'a pas de talent... En tout cas, pas celui-là.

– Laurent, oui.

Raphaël a ouvert des yeux immenses.

– Alors il est en danger, lui aussi.

– Pas forcément. Dieudonné Machin sait pas que Laurent est aussi doué que Rachel.

– Il va le savoir très vite.

– Comment ça?

– C'est pas difficile. T'as vu comment il fait démarrer sa voiture?

– Non.

Haussement d'épaules impatient.

– Tu remarques jamais rien, Manu. Au lieu de monter dans la voiture, de fermer la porte et de démarrer comme tout le monde, Laurent, il laisse la porte ouverte et une jambe dehors avant de mettre le contact.

– Il fait ça?

– Ben oui. Comme s'il se gardait une porte de sortie au cas où la voiture exploserait ou se mettrait à voler. Personne fait ça, aucun père normal, je le sais, je l'ai demandé à mes copains.

Seigneur!

– Le bandit Moisan, il va le remarquer, lui. S'il surveille la maison, il va le voir assis au volant avec son pied dehors. Sans compter qu'il s'y prend toujours à deux fois pour démarrer. Il démarre, éteint et redémarre, comme s'il en revenait pas que ça marche. C'est pas normal, ça, il va se douter de quelque chose, le bandit. Ils sont pas comme toi, ils remarquent les détails, eux.

Sa respiration s'est accélérée.

– Il va faire le guet devant la maison, il va voir Laurent démarrer une fois, puis une autre, il va penser: «Pourquoi il fait ça? Il doit être de mèche avec l'autre, la saboteuse de guichet.» Il va le suivre jusqu'au trou où il fait ses fouilles, il va le pousser dedans, jeter des pelletées de terre sur lui et on le verra plus. Laurent va se fossiliser et ça va prendre encore des siècles avant que d'autres archéologues le déterrent.

– Voyons, Rapha! Laurent enseigne, il fait plus de fouilles. Et puis, Moisan a *besoin* de lui, il va pas le tuer.

Pause.

– Alors il va nous enfermer dans la maison, il va l'arracher et l'emporter dans son camion pour obliger Rachel et Laurent à travailler pour lui.

Ce qui fait qu'on ne savait plus trop s'il fallait s'inquiéter pour Laurent ou pour nous. Ou pour la maison, aurait ajouté Raphaël.

– En période de crise, Rapha, il faut user de prudence et rester calme. Il faut avoir la vigilance du lynx...

– ...et la roublardise de l'orang-outan, ouais.

D'un commun accord, nous avons décidé d'exercer une vigilance continue, ce qui, en termes simples, signifie qu'on n'allait pas dormir du tout pendant les 48 heures suivantes. La première nuit, Raphaël est tombé de sa chaise en plein sur Edison, qui s'est réveillé en jappant avant de se ruer sur le téléphone. Nous l'avons intercepté à temps. La seconde, je me suis effondré la tête la première sur mon bureau et j'ai cassé mes lunettes (heureusement, j'en ai trois paires). À la suite de quoi nous avons décidé d'oublier l'incident et de continuer à vivre comme si de rien n'était.

6

Soupçons

La vie a donc repris son cours habituel, ponctué par un certain nombre de pannes et des repas normaux: de vrais déjeuners, de vrais dîners, de vrais soupers. Ponctué aussi de petites surprises: le grille-pain s'est remis à fonctionner des deux côtés. Peut-être la simple présence de ma mère suffit-elle à détraquer les appareils. Nous avons reçu d'elle un télégramme laconique nous informant qu'elle est bien arrivée en Papouasie, qu'il pleut depuis deux jours et qu'elle n'a pas encore eu le bonheur de voir la fameuse statuette en cuivre d'une grande valeur, parce que le coffret dans lequel on l'a déposée refuse de s'ouvrir. La serrure est bloquée. On doit faire venir un serrurier spécialisé dans ce type de serrure électronique.

– Normal, a murmuré Raphaël.

Rachel doit donc patienter en attendant de pouvoir entrer en action. Elle a bien écrit «entrer en action», ce qui, je ne sais trop pourquoi, me donne froid dans le dos.

Nous nous ennuyons d'elle, mais il convient de dire qu'en son absence, nous éprouvons une sorte de détente, comme si les objets et nous-mêmes respirions plus à l'aise, et nous profitons généralement de ses séjours à l'étranger pour faire réparer nos appareils. Edison, en revanche, ne va pas bien du tout. Les chiens, on le sait, sont d'infatigables travailleurs. Privé de ma mère, c'est-à-dire de sa principale source de préoccupation, Edison s'ennuie. Il erre comme une âme en peine dans la maison et aboie pour un oui ou un non.

Le jour où Léon Latreille, l'électricien, est venu réparer le chauffe-eau – passe encore pour le pain à moitié grillé, mais se doucher à l'eau froide, non merci! – Edison s'est montré plus récalcitrant que jamais. Il s'est mis à aboyer au point que le pauvre homme a dû nous demander de l'enfermer dans le salon. Mais nous avions oublié le téléphone et la fameuse touche 1. Les pompiers sont arrivés dans un hurlement de sirènes capable de réveiller les morts et au moins une douzaine de voisins. M. Latreille l'a très mal pris. Il n'y a rien de pire pour un électricien que de voir des pompiers arriver là où il travaille, de quoi ficher une réputation en l'air. M. Latreille est parti en claquant la porte et nous avons continué à nous laver à l'eau froide.

Deux jours plus tard, un autre réparateur est venu, Bob Doré, grand gaillard tout en bras et en jambes, arborant un énorme sourire, un sac à dos et une casquette. Raphaël l'a considéré un long moment, la mine soucieuse.

Mon père avait dû quitter la maison très tôt et m'avait demandé de le recevoir, responsabilité qui m'incombe la plupart du temps. Cela m'arrange, parce que chaque fois qu'un réparateur se pointe chez nous, mon père a la détestable manie de diminuer l'importance de la panne, comme s'il était gêné que l'appareil ne fonctionne pas. J'ai donc reçu Bob Doré et l'ai mené directement au sous-sol. Est-il besoin de préciser que nous avions mis Edison dehors avec, à sa disposition, une montagne de croquettes et deux boîtes de nourriture molle *Festin à la dinde et son coulis de pleurotes*?

Bob a réparé le chauffe-eau en moins de deux. Raphaël ne l'avait pas quitté des yeux une seule minute, mais l'air soucieux avait disparu comme par enchantement.

– Tu répares aussi les jouets, monsieur?

Le bonhomme a retiré sa casquette et s'est gratté la tête.

– Les jouets? Pourquoi pas?

Dehors, Edison s'est mis à aboyer.

– Minute, Raphaël, ai-je dit. Laisse M. Doré tranquille. On ne veut pas vous monopoliser, monsieur. Peut-être un autre jour…

– Non, non, j'ai le temps.

Raphaël a filé à sa chambre. Deux minutes plus tard, il est revenu au salon avec un sac plein à craquer d'objets défectueux accumulés depuis sa naissance: de vieux *transformers* amputés d'un bras ou d'une jambe, un bateau à voile téléguidé, un ours en peluche qui marche grâce à une clé vissée dans le dos et qui parle (il est censé dire «Bonjour, comment vas-tu ce matin?» mais ne dit que «Brouuuillecriiiiiicatin»), une console de jeux vidéo, un MP3, le fameux robot prostré, etc.

– Tu vois, expliquait mon frère, ce robot-là, il est comme ça de naissance, personne a jamais réussi à le redresser.

– Hum… a fait le monsieur. Peut-être que ton père pourrait…

– Ben non, a rétorqué Raphaël, c'est lui qui l'a brisé.

– Ah! Ta mère, alors?

– C'est pire.

Bob nous a regardés en souriant.

– C'est vrai qu'en général, les femmes sont moins habiles que les hommes pour réparer des objets.

– Oui, mais ma mère est pas une femme en général, tu sauras!

Quelle mouche avait piqué mon frère, sapristi? D'habitude, Raphaël ne s'épanche pas en présence d'inconnus. Bob a pris le boîtier et il l'a ouvert pour examiner les piles.

– C'est pas les piles... a déclaré Raphaël.

– Non, en effet, a dit Bob.

Edison s'est mis à gratter à la porte de devant.

– Comme ça, ta mère est une mère un peu spéciale?

– *Très* spéciale, a rectifié Raphaël, fasciné par les mains de Bob qui s'activaient sur le robot. Elle a un pouvoir.

Bob a baissé les yeux vers mon frère.

– Un pouvoir?

– Ouais.

– Quelle sorte de pouvoir?

J'étais face à la fenêtre, en train d'observer Edison qui allait et venait sans discontinuer. Il était anormalement nerveux. Il courait autour de la camionnette, reniflait, aboyait, puis revenait vers la maison, s'allongeait devant la porte. Quelques secondes plus tard, le manège recommençait.

Quelque chose clochait.

– Un pouvoir mystérieux, babillait Raphaël dans mon dos. C'est difficile à expliquer, c'est comme… comme une force irrésistible qui vient du… cosmos, ça veut dire des extraterrestres, et qui a pour effet de… de changer la texture des objets, ouais…

Il y a eu un long silence, seulement ponctué par le bruit du métal que l'on ajuste. Je n'osais pas me retourner, je ne *voulais* pas me retourner. Je savais que mon expression me trahirait.

– Elle est sortie, j'imagine ?

Bob, encore. Raphaël n'a pas répondu.

– Des fois, ma mère, elle est tellement forte, a-t-il poursuivi, qu'elle a juste à aller dans une banque pour que la banque change de texture et se mette à régurgiter tout son argent.

– Tiens donc !

Ne dis plus rien, Rapha, je t'en prie. Ne dis plus rien. J'en étais sûr, à présent, ce bonhomme-là n'était pas un électricien ordinaire. Il a déposé le robot par terre et appuyé sur la télécommande. Le robot s'est redressé d'un coup et s'est dirigé vers mon frère ébahi.

– Ça alors, comment t'as fait ?

L'homme a haussé les épaules en faisant la moue. Rapha s'est tourné vers moi. Le sourire qu'il m'a envoyé, comme pour me prendre à témoin du miracle, je ne suis pas près de l'oublier.

– Et ta mère, elle est où ? a demandé Bob.

Raphaël a eu un geste vague.

– Loin, très loin. Elle refait un nez. Un petit nez.

– Elle est partie pour longtemps ?

Je me suis retourné pour leur faire face.

– Bon, je pense qu'il faut pas accaparer plus longtemps M. Doré, Raphaël. Maintenant que ton robot est réparé…

– Pas complètement, m'a interrompu l'homme.

– Pas complètement, a répété Raphaël en m'adressant un de ces regards lumineux dont lui seul a le secret. Il marche mais il est censé bouger les bras aussi et là, ben, y a que les jambes qui bougent.

Le robot déambulait toujours dans le salon, raide, un peu guindé, avec ses deux bras morts tombant de chaque côté de son corps. Je ne savais plus trop quoi faire, Raphaël était tellement content, tellement heureux d'avoir devant lui un magicien qui réparait tout ce que la vie avait brisé.

Edison a recommencé à aboyer, mais ni mon frère ni Bob n'ont eu l'air de s'en apercevoir.

– Je monte dans ma chambre un moment, ai-je dit. Prévenez-moi quand vous partirez, monsieur.

C'est tout juste s'il a levé la tête pour acquiescer.

J'ai quitté le salon et, une fois hors de vue, j'ai bifurqué vers la cuisine et je suis sorti sans bruit par la porte d'en arrière.

7

Un plan discutable

La camionnette de Bob était stationnée dans la rue, presque invisible du salon. Avec Edison sur les talons, je l'ai contournée pour essayer de voir ce qui intéressait tant le chien. Sur l'un des côtés s'étalait en grosses majuscules flamboyantes :

Avec Bob Doré – Pas de danger
Tout est réparé – Pour l'éternité

Comme le soleil arrivait en plein sur la vitre, il était difficile de voir à l'intérieur. Tout ce que j'apercevais était ce qui me semblait être un très vieux coffre à outils déposé sur le siège voisin du conducteur. La camionnette elle-même était en assez piteux état. La peinture blanche était écaillée par endroits, la rouille pointait un peu partout. Rien à voir avec la panoplie d'outils sophistiqués du bonhomme qui se trouvait dans la maison. Pourquoi n'avait-il pas jugé bon de transporter son vieux coffre à l'intérieur ?

J'ai poursuivi mon inspection mais, comme il n'y avait pas de fenêtres sur les côtés, je ne pouvais pas voir ce qu'il y avait à l'arrière de la camionnette. J'ai essayé d'ouvrir la portière : verrouillée. Plié en deux, je me suis dirigé vers l'arrière. Chacune des deux portières était percée d'une étroite fenêtre. Les deux fenêtres étaient recouvertes d'une épaisse couche de suie et la gauche était craquelée.

Craquelée ! N'importe quoi mais pas ça ! Cela m'a replacé illico dans l'atmosphère de la maison. Un électricien qui se balade dans une vieille camionnette rouillée dont l'une des fenêtres est brisée!

J'ai risqué un œil à l'intérieur. On n'y voyait rien, c'était trop sombre.

Que faire, sapristi? J'étais à peu près certain que l'individu qui se trouvait chez nous en train de réparer les jouets de mon frère n'était pas le vrai Bob Doré. Mais si c'était le cas…

Comment le prouver?

Où était le vrai Bob Doré?

Ma première réaction a été de faire irruption dans le salon en hurlant, d'arracher Raphaël aux griffes du faux Bob Doré, de me sauver avec lui et d'appeler la police.

Ma seconde réaction a été de conclure que la première n'était pas la bonne. En période de crise, mieux vaut user de prudence et rester calme, avoir la finesse du renard, la lucidité de l'hyène tachetée et la force tranquille du léopard.

Raphaël n'était peut-être pas en danger. Le bonhomme n'avait pas l'air bien méchant. Il pillait les guichets, pas les maisons.

Téléphoner à la police était une entreprise risquée. Si le faux Bob s'en apercevait, comment réagirait-il ? Et puis, aussi bien vous le dire, mes parents sont connus de la police.

À l'heure qu'il est, ils sont sûrement fichés. À force de voir les pompiers alertés à tout bout de champ, la police a fini par s'en mêler. Le jour où Edison a appuyé trois fois de suite sur la touche 1, un policier est venu à la maison : il nous a impérativement suggéré de nous débarrasser du chien ou du téléphone. Les déranger encore une fois ? Sans preuve ?

Non, mieux valait élaborer un autre plan :

1. *Vérifier que Raphaël n'est pas dans une situation fâcheuse, c'est-à-dire en danger.*

2. *Faire parler le faux Bob Doré pour établir hors de tout doute qu'il n'est pas Bob Doré, mais Dieudonné Moisan, pilleur de guichets professionnel.*

3. *Tirer profit de la situation.*

Pourquoi pas? Raphaël et moi, on n'a pas tous les jours l'occasion de faire l'expérience du progrès. D'habitude, c'est le contraire. Dès qu'ils arrivent chez nous, les objets subissent une détérioration plus ou moins rapide, ce qui est pour nous source de tension et de mélancolie. Mais avec le faux Bob Doré, le mouvement s'inversait. Tout bandit qu'il était, il réparait, il s'emparait d'une chose pour la rendre meilleure. La vie devenait quelque chose de positif et ça, c'était nouveau. Alors pourquoi ne pas en profiter pour lui faire réparer tout ce qui ne fonctionnait pas dans la maison, c'est-à-dire presque tout? Pour faire de notre maison un lieu habitable et fonctionnel?

D'abord Raphaël. Je suis rentré par la porte de la cuisine sans faire de bruit et je me suis dirigé vers le salon. Deux têtes étaient penchées l'une vers l'autre, une grosse et une petite. Je voyais leurs cheveux, leurs fronts qui se frôlaient. Le grand expliquait au petit comment et pourquoi les choses se brisent, comment les réparer. Le petit approuvait, hochait la tête, ailleurs tous les deux, même le faux Bob, je l'aurais juré, en avait oublié la raison de sa venue chez nous. On ne peut pas résister longtemps à Raphaël. Sa passion pour les objets, son intelligence, son immense curiosité. Je savais qu'il ne perdait pas un mot de l'enseignement, qu'il le mettrait à profit et, pourquoi pas ? deviendrait notre réparateur attitré. Un ami ! Raphaël avait trouvé un ami. Et un complice. Nos parents sont gentils, oui, ils sont bourrés de talents, mais ils n'ont pas celui-là.

– Vous y arrivez ? ai-je demandé en entrant.

J'avais la nette impression de les déranger.

– Tu parles ! s'est exclamé Raphaël. Il a même réparé le vieil ours, tu sais, celui qui est censé dire...

– Je sais, oui.

– Ben, c'est pas complètement réparé, mais c'est mieux. Il dit pas vraiment « *Bonjour, comment vas-tu ce matin ?* », mais au moins il dit pas «*Brouuuillecriiiiiicatin*»...

– Ah non ? Et qu'est-ce qu'il dit ?

– «*Bonjour, brouuuuillecriiiiiicatin*»...

– C'est un début.

– Je dois partir, a dit Bob.

Raphaël avait dû finir par lui apprendre que Rachel s'était absentée pour un mois. Bob a commencé à ramasser ses affaires. Raphaël a couru vers lui et s'est pendu à son bras.

– Pars pas, monsieur, on n'a pas fini.

– Je reviendrai un autre jour. J'ai à faire.

– Dommage, ai-je soupiré. Il y a ici quelques engins qui ne fonctionnent pas comme ils devraient.

– Il veut dire que tout est brisé dans la maison, a traduit Raphaël avec un gros sourire.

– Tout?

– Presque.

Il a compté sur ses doigts.

– Le lave-vaisselle, la laveuse, le séchoir à cheveux, la porte du garage, le téléviseur, la radio...

– Bon sang! Qu'est-ce qui se passe chez vous?

– ... le grille-pain, a poursuivi Raphaël, imperturbable.

– Il fonctionne à présent, ai-je dit.

– Il fonctionne, mais jusqu'à quand? Quand Rachel va revenir, il va recommencer à divaguer.

Bob s'est tourné vers moi, nos regards se sont croisés.

– Nos parents sont un peu bizarres, vous savez. Ma mère surtout, mais pour certaines choses, mon père ne donne pas sa place.

Raphaël s'était rassis au milieu de ses jouets. Il embrassait son ourson à pleine bouche sans obtenir en retour d'autres marques d'affection que des «Bonjour, brouuuillecriiiiiicatin».

– Pouvez-vous garder un secret? ai-je chuchoté

– Sûr, a répondu Bob après un moment d'hésitation.

Je l'ai entraîné dans le vestibule.

– Ce pouvoir dont parlait mon frère tout à l'heure, il existe bel et bien, vous savez.

– Ah voui?

– Ça nous cause toutes sortes de problèmes, d'ailleurs, ai-je ajouté en levant les yeux au ciel. Pourquoi pensez-vous que tout est brisé, ici?

Pause.

– Ché pas, a dit Bob. Ils s'entraînent?

– Exactement.

– Voyez-vous ça! a fait Bob en se caressant le menton.

– Ils n'ont pas toujours été comme ça, ils l'ont développé, leur talent. Ma mère a commencé par les distributeurs de boules de gomme, mon père, par les parcomètres...

– Les parcomètres!

Il avait l'air pénétré du travailleur réorientant sa carrière. Voler des parcomètres! Moins intéressant que les guichets, peut-être, mais tellement moins risqué.

– Plus tard, ils ont fait les casinos. C'est d'ailleurs là qu'ils se sont rencontrés. Y a rien comme une cascade de sous qui dégringolent dans un sac pour créer des liens, pas vrai? Depuis, ils se lâchent plus.

– Je comprends ça.

Le petit robot est venu buter contre mon pied gauche. Je l'ai renvoyé au salon et l'ai suivi des yeux un moment. Ses bras se balançaient d'avant en arrière avec une régularité parfaite.

– À présent, ils s'attaquent à du plus gros gibier. Le guichet de l'autre jour...

Le visage de Bob s'est allumé.

– Elle ?

J'ai hoché la tête en silence.

– C'est pas pour rien qu'on les appelle les Bonnie and Clyde de la technologie.

Son expression a changé du tout au tout, il hochait la tête, incrédule. J'en mettais peut-être un peu trop.

– Jamais entendu parler de Bonnie and Clyde technologiques, moi.

– Euh… C'est nous, mon frère et moi, qui les appelons comme ça.

– Ah bon.

– Hélas, ils ont un gros handicap…

– Voui ?

– Ils brisent, mais ne réparent pas. C'est vraiment désolant.

Il continuait à hocher la tête, de moins en moins incrédule.

– Parlez-moi de voleurs qui quittent les lieux sans laisser de traces. Mes parents ne sont pas du tout comme ça. À force de tout bousiller, ils vont finir par se faire prendre.

Bref intermède de réflexion profonde.

– Pas s'ils travaillent avec d'autres, a finalement lâché Bob.

J'ai fait celui qui ne saisit pas. Mais je l'avais, la preuve. La preuve que je me trouvais en présence de Dieudonné.

– D'autres qui les complètent, a poursuivi Bob. Qui ont le talent qu'ils n'ont pas mais qui n'ont pas le talent qu'ils ont.

– Une équipe, en quelque sorte ?

– En plein ça.

Les minutes s'écoulaient tranquillement. Raphaël faisait glisser les boules de son boulier, toc, toc, toc. Edison ne jappait plus.

Et ensuite? Tout cela était bien beau, mais le temps passait et la maison était toujours un lieu électro-mécano-déficient. Déjà 11 h 10. Mon père devait rentrer vers 13 heures.

– À voir ce que vous avez fait avec les jouets, on pourrait presque croire que vous avez le talent dont vous parlez, celui qu'ils n'ont pas...

Nouvel intermède de silence. Bob se grattait le bout du nez.

– Peut-être.

– Et si le travail d'équipe commençait maintenant? ai-je suggéré. Réparer le lave-vaisselle, le séchoir à cheveux, la laveuse, le téléviseur, la radio et la porte du garage, ce serait un bon moyen de convaincre mes parents de faire équipe avec vous...

Bob a ramassé ses outils et on a mis le cap sur la cuisine.

8

Remords tardifs

J'ai rejoint Raphaël au salon.

–Il va tout réparer, ai-je dit.

– Ah oui?

Le ton de mon frère avait changé, il était tout sauf enthousiaste.

– Qu'est-ce qui va pas, Rapha?

Il triturait la clé de son ours sans ménagement. Devais-je lui parler de ma découverte ou me taire, pour ne pas l'inquiéter? Je suis allé chercher la radio et le séchoir à cheveux. Raphaël m'a jeté un rapide coup d'œil avant de baisser les yeux.

– Qu'est-ce qui va pas ?

De la cuisine nous parvenaient des bruits d'eau. C'était extraordinaire. De l'eau qui coule au bon endroit, à l'*intérieur* d'un appareil, en circuit fermé en quelque sorte, au lieu d'inonder le plancher.

– C'est à cause de ton ours ? On peut lui demander de le réparer plus tard.

Raphaël a secoué la tête.

– Il s'appelle pas Bob Doré, a-t-il chuchoté en montrant la cuisine. Bob Doré ressemble pas du tout à ça. C'est un vieux monsieur avec de vieux outils et une vieille camionnette esquintée.

J'étais estomaqué.

– Comment tu sais ça ?

– Il est déjà venu une fois, le vrai Bob Doré. La fois où Léon Latreille n'avait pas pu venir. Il ressemble pas du tout à ce Bob-là (deuxième regard vers la cuisine).

Je repensais à son air soucieux de tout à l'heure. Mon frère avait compris, en le voyant, que Bob Doré n'était pas Bob Doré.

– Sans parler des outils, a enchaîné Raphaël en malmenant toujours la clé. C'est pas des outils d'électricien qu'il a, lui (troisième regard vers la cuisine). Depuis le temps qu'on en voit se balader par ici, des électriciens, je les connais, moi, leurs outils.

– Et si tu savais tout ça, pourquoi tu l'as pas dit?

– Pourquoi je l'aurais dit? Quand il est venu l'autre jour, le vrai Bob Doré, je lui ai demandé pour mes jouets. Il m'a répondu qu'il était pas là pour ça. Lui, le faux Bob, il a dit oui tout de suite.

Si tu savais pourquoi, ai-je pensé. *Il a accepté uniquement parce qu'il voulait obtenir des informations sur Rachel. Parce que le fameux Trucmuche Moisan,*

l'arracheur de guichets, c'est lui, Rapha.
C'est lui, comprends-tu?

Raphaël a levé vers moi ses immenses yeux noirs.

– Le fameux Trucmuche Moisan, l'arracheur de guichets, c'est lui, Manu. C'est lui, comprends-tu?

Bon.

– Je voulais pas t'inquiéter avec ça, a poursuivi Raphaël. T'avais vraiment pas l'air de faire le lien, il y a tellement de choses qui t'échappent.

– Mais... t'as pas eu peur?

– Ben non, il est gentil, le faux Bob, pas épeurant du tout, en tout cas pas aussi épeurant qu'un Mangemort ou un Gobelin.

Il a poussé un long soupir.

– Et ce qu'on fait là, c'est pas correct.

– Qu'est-ce que tu veux dire?

– Moi, je l'ai gardé ici pour qu'il répare mes jouets, toi (quatrième et dernier regard vers la cuisine), tu le gardes ici pour qu'il répare la maison.

Comme s'il se doutait qu'on parlait de lui, Bob a fait irruption dans le salon. Il a pris la radio et le séchoir à cheveux et est retourné dans la cuisine.

– C'est un bandit, Rapha.

Il a rejeté la tête en arrière avant de me regarder en plissant les yeux.

– Et alors?

– Comment ça, «Et alors?»

– C'est pas parce que c'est un bandit qu'il faut pas se conduire correctement avec lui.

– Sapristi! Qu'est-ce qui t'arrive?

– Parle moins fort, il va nous entendre.

– T'as changé ton fusil d'épaule, on dirait! L'autre jour, t'avais peur qu'il s'en prenne à Laurent!

– Je le connais, à présent. C'est plus pareil.

– Tu t'en es fait un ami, c'est ça?

– Pourquoi pas?

Il s'était redressé et me défiait du regard.

– Du calme, Rapha. Restons calmes. En période de crise, mieux vaut user…

– S'il est ici, c'est uniquement parce qu'il veut voir Rachel. Et toi et moi, on sait bien qu'il la verra pas, Rachel.

– Peut-être pas aujourd'hui, non…

– Ça veut dire quoi, ça?

– Comment tu penses que je l'ai convaincu de rester ici?

Il a cligné des yeux plusieurs fois de suite.

– Comment? Qu'est-ce que t'as fait?

– Ça sert à rien de réparer ce machin, a grogné Bob en revenant au salon avec le séchoir. Je comprends pas ce qui a pu se passer. Le mécanisme s'est inversé. D'habitude, un séchoir à cheveux, ça se brise pas comme ça. C'est pas normal.

Il nous regardait en attendant une réponse que nous étions incapables de lui donner.

– C'est un mystère, ai-je dit. Nous autres non plus, on comprend pas.

Il a haussé les épaules.

– Encore un coup des Bonnie and Clyde de la technologie? a-t-il ajouté en adressant un clin d'œil à Raphaël.

Il est reparti vers la cuisine.

– C'est quoi, ça, les bonnienneclyde-de-la-technologie?

– Une histoire que j'ai dû inventer : nos parents sont des saboteurs de génie qui s'entraînent sur les appareils de la maison...

– T'as vraiment dit ça ?

– Ça et bien d'autres choses, oui.

– Pourquoi t'as fait ça ?

– Pour qu'il reste, Rapha. Juste pour qu'il reste. Toi aussi, tu en as parlé, de leur pouvoir, tout à l'heure.

Silence.

– Ça se peut pas. On reste pas là à réparer une maison au grand complet juste parce que ses propriétaires sont des bonnienneclyde-de-la-technologie !

– J'ai dit autre chose.

– Quoi ?

– Qu'ils pourraient peut-être, j'ai bien dit peut-être, travailler ensemble.

– Ensemble ?

Son petit front s'est plissé sous l'épaisse frange de cheveux noirs. Imaginer Dieudonné Moisan et nos parents travaillant de concert, c'était comme imaginer deux zèbres offrant leur collaboration à un puma qui n'a rien avalé depuis trois mois, ce qu'on appelle un suicide.

– Ça se peut pas, a conclu Raphaël. Bob et nos parents, ça peut pas aller ensemble.

– Ça y est, j'en suis venu à bout, a annoncé Bob en nous montrant la radio.

Visage rouge, sourire aux lèvres.

– Et ensuite?

– Le garage. La porte extérieure est coincée.

Je l'ai conduit en bas du petit escalier qui mène au garage et je lui ai ouvert la porte.

– Qu'est-ce qu'on fait, à présent? ai-je demandé en revenant au salon.

Comme Raphaël restait muet et continuait de bouder :

– C'est lui qui s'est pointé ici, je te rappelle, et sous un faux nom, à part ça. On se défend, rien d'autre.

– On se défend de quoi ? Il nous a rien fait !

– Tu veux quoi ? Qu'on l'invite à manger ?

– Pourquoi pas ?

– Tu t'es jamais demandé, monsieur le défenseur des arracheurs de guichets, ce qui avait pu arriver au vrai Bob Doré ?

Raphaël s'est redressé.

– Qu'est-ce qui est arrivé au vrai Bob Doré ?

– Aucune idée. Mais si le bonhomme n'est pas Bob Doré, où il est, Bob Doré ?

– Tu penses qu'il lui a fait quelque chose ?

Le ton était moins passionné que tout à l'heure. L'étoile du faux Bob Doré commençait à pâlir.

– Il peut pas l'avoir tué, hein ?

Ce regard noir, encore. Qui ferait fondre un glacier si le réchauffement de la planète ne s'en chargeait pas déjà.

– Ben non, voyons ! C'est un voleur, pas un tueur. Mais il faut trouver le vrai Bob. On peut pas rester là sans rien faire.

– Ouais, a approuvé Raphaël. Avec nos parents dans le décor, des électriciens, on en a besoin, il faut pas les gaspiller.

– Ton plan ? ai-je demandé.

– On pourrait demander au faux Bob où il a caché le vrai, et pis comme ça, les deux pourraient collaborer. Peut-être que le vrai Bob, il aimerait ça, avoir une relève. Le faux, lui, il pourrait apprendre au vrai à réparer les jouets et mon ours qui dit: «*Bonjour, brouuuil…*»…

– Ouais!

Pause, brève.

– Réfléchissons, Rapha. En période de crise, mieux vaut user de prudence et rester calme, avoir la finesse du renard…

– … la lucidité de l'hyène tachetée et la force tranquille du léopard. Arrête avec ça, Manu!

– Qu'est-ce qu'on veut, au fond?

– Au fond de quoi?

– On veut trouver le vrai Bob et empêcher que le faux ait des ennuis. Étape numéro 1: enfermer le faux Bob dans le garage pendant qu'on cherche le vrai. Étape numéro 2 : trouver le vrai Bob. On n'a pas beaucoup de temps. Quand le faux Bob va s'apercevoir qu'il est enfermé, il va croire qu'on appelle la police et il va essayer de se sauver.

– En forçant la porte du garage, a judicieusement ajouté Raphaël. Qui va se briser encore une fois.

Seconde pause, encore plus brève.

– La camionnette, ai-je repris. Le vieux Bob est sûrement dedans. Il faut trouver le moyen de s'introduire à l'intérieur. Mais il y a un pépin.

– Quoi ?

– Les portières sont verrouillées.

– Alors on peut pas.

– Oui, on peut. Par la fenêtre arrière. Elle est craquelée.

– Craquelée ? s'est insurgé Raphaël.

L'étoile du faux Bob Doré pâlissait, celle du vrai aussi.

– Ben, si la fenêtre est brisée, a conclu mon frère, on peut rien faire.

– Ben oui, on peut.

Je lui ai adressé mon sourire le plus convaincant.

– Pas question, Manu. On va rien briser du tout, on va pas entrer dans la camionnette en défonçant la fenêtre. Pas question de faire comme nos parents, non. Jamais !

J'ai enfoncé mon poing dans la fenêtre craquelée et retiré un à un les éclats de verre. Raphaël a grimpé sur mon dos et s'est glissé à l'intérieur de la camionnette. Suivi par Edison.

Le faux Bob l'ignorait sans doute mais, depuis cinq minutes, il était emprisonné dans le garage. On avait poussé le verrou de la porte intérieure et, pour plus de sécurité, coincé une chaise sous la poignée. De l'autre côté, il n'y avait eu aucune réaction. On n'entendait que le cliquetis des outils s'escrimant sur la porte du garage.

La petite figure de Raphaël s'est encadrée dans la fenêtre.

– Il est là, Manu. Ficelé comme un saucisson avec un gros bâillon sur la bouche. Qu'est-ce que je fais?

– Déverrouille la portière, vite.

Je me suis faufilé à l'intérieur. On a libéré Bob et on lui a retiré son bâillon. Edison s'est mis à aboyer. Le bonhomme aussi.

– QU'EST-CE QUI SE PASSE ICI, BON SANG?

– Ah! C'est ici que vous vous cachiez! me suis-je exclamé.

Entrée en matière assez lamentable, j'en conviens, mais que dire d'autre?

– ON M'A ASSOMMÉ, BÂILLONNÉ, SÉQUESTRÉ...

– Qui ça, «on»?

– COMMENT VOULEZ-VOUS QUE JE LE SACHE? ILS M'ONT PAS LAISSÉ LEUR CARTE DE VISITE!

– Ils étaient plusieurs?

– Aucune idée. Des jeunes, sans doute, a-t-il ajouté à mi-voix.

– Ben non, s'est insurgé Raphaël.

Edison s'est approché de Bob pour lui lécher les mains. Bob l'a chassé d'une bourrade et s'est redressé. Il a sorti de sa poche un énorme mouchoir gris blanc qui ressemblait à une nappe et s'est épongé le front.

– Ils n'ont pas volé mon camion, c'est déjà ça. Vous avez bien dû voir quelque chose, vous autres?

– Rien de rien. Pas vrai, Rapha?

– Euh...

– Rien de rien, M. Doré. Oh! Vous avez un bleu, là.

Pas juste un bleu, une prune, mauve. Edison a fait une nouvelle tentative pour se rapprocher.

– Ils s'en tireront pas comme ça, je vous en passe un papier!

Il respirait bruyamment. Ses poignets étaient rouges là où la corde avait comprimé la chair.

– J'appelle la police!

– Pourquoi? a protesté Raphaël.

– Pourquoi pas? ai-je dit.

Bob a farfouillé dans la poche de sa veste pour prendre son portable. Il a composé le 9-1-1.

– Ici Bob Doré, électricien. C'est pour une urgence. Je viens d'être attaqué et séquestré dans ma camionnette…

– …

– Où? Rue Laflamme, en face du 309.

– …

– Chez les Sansoucy, oui.

– ...

– Une plaisanterie ? Comment ça, une plaisanterie ?

J'ai croisé le regard de Raphaël. L'entretien se déroulait comme prévu.

– Écoutez, monsieur, je ne sais pas si les Sansoucy vous dérangent pour rien, mais ce n'est pas mon cas. C'est la première fois que je vous appelle.

– ...

Bob Doré a haussé les sourcils et nous a regardés d'un drôle d'air. Nous, on regardait ailleurs.

– Les pompiers ? Pourquoi voulez-vous que j'appelle les pompiers ? Y a pas le feu.

– ...

– Y a pas le feu, je vous dis ! Moi, tout ce que je veux...

– …

– MAIS OUI, Y A LE FEU ! PAS LE FEU AU SENS DE FLAMME ! LE FEU AU SENS D'URGENCE.

– …

– Des blessés ? Je ne crois pas, non. Les petits Sansoucy sont avec moi.

– Brûlé-Sansoucy, a précisé Raphaël. Pas blessés, non, a-t-il ajouté, assez fort pour qu'on l'entende à l'autre bout du fil. Pas blessés du tout !

– …

– Leurs parents ?

Bob a plaqué sa main sur le combiné.

– Où sont vos parents ?

– Rachel est en Papouasie pour refaire un nez, a débité mon frère, Laurent est à l'université en train d'apprendre à des gens à faire des trous dans la terre.

– Absents, a résumé Bob. Les parents sont absents.

– …

– Comment ça, plus d'urgence ?

– …

Bob a de nouveau plaqué sa main sur le combiné.

– Je comprends rien ! Il dit que si vos parents sont absents, il n'y a plus de problème et plus la moindre urgence. Il dit que si vos parents sont absents, la planète est en sécurité. Ça veut dire quoi, à votre avis ?

– Aucune idée, avons-nous répondu à l'unisson.

Bob a repris le combiné.

– …

– Dans un quart d'heure seulement ? C'EST UNE URGENCE, JE VOUS DIS !

– ...

– Mais moi, je suis blessé, saperlipopette! Qu'est-ce qu'il vous faut de plus? Que je tombe raide mort?

– ...

– Comment ça, en forme? Je ne suis pas en forme du tout! J'ai passé trois heures ficelé dans une camionnette, monsieur!

– ...

– Je peux bouger, oui. Je peux marcher, oui. Je peux me calmer, oui.

– ...

– Conduire? Ouuuui... enfin, je crois.

L'entretien s'est poursuivi un moment. Bob a fermé son portable d'un coup sec. Il fulminait.

– Ils disent que je dois me rendre au poste pour déposer une plainte! Pas la moindre compassion!

– C'est pas si grave, monsieur, a murmuré Raphaël. T'as juste une petite prune sur le front.

– Et la peur? L'angoisse? Qu'est-ce que tu fais de l'angoisse? Je ne suis plus très jeune, mon pauvre cœur ne tiendra peut-être pas le coup.

– Ton pauvre cœur? Il a pas eu à forcer, ton pauvre cœur. T'as passé la matinée à dormir dans ton camion, c'est pas forçant, ça.

Bob hésitait entre l'envie de tout casser, à commencer par nous, et l'envie de perdre connaissance. Bougonnant toujours, il est sorti de la camionnette et s'est assis au volant. Edison en a profité pour s'échapper, nous, pour sortir.

Bob cherchait ses clés.

– Ils ont volé mes clés, évidemment!

Il a ouvert la boîte à gants et pris une clé de rechange. Au moment de démarrer, il nous a jeté un dernier regard.

– Ils envoient une patrouille, a-t-il lâché en appuyant sur l'accélérateur.

Au moment où la camionnette de Bob disparaissait à l'angle de la rue, la porte du garage s'est soulevée tout doucement, tel un rideau de scène au début d'un spectacle. Raphaël et moi, on est restés silencieux quelques secondes, à admirer. Pas le spectacle, non, simplement la porte du garage qui s'ouvrait et se refermait sans bruit. Banal, direz-vous. Pas pour nous.

Le faux Bob est apparu, le visage rouge.

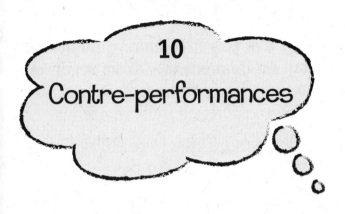

10

Contre-performances

On s'est rués sur lui, on l'a repoussé à l'intérieur et on a fermé la porte.

– Vite! ai-je dit. La police s'en vient. Il faut partir.

– Le vrai Bob, il est pas content du tout, a expliqué Raphaël. T'aurais pas dû le ficeler comme ça, c'est pas correct et c'est pas bon pour sa santé.

– Je vais vous ouvrir la porte intérieure. Elle est verrouillée.

– Avec une chaise sous la poignée, a précisé Raphaël.

Je n'ai pas eu à ouvrir quoi que ce soit. Au moment où j'allais sortir, un bolide a foncé dans le garage et fait éclater la porte en mille morceaux.

J'ai attrapé mon frère et l'ai poussé au fond du garage.

– Lâche-moi, Manu ! C'est juste Laurent qui revient !

C'était, effectivement, Laurent.

Laurent qui, voulant éviter Edison qui caracolait de joie autour de la voiture, avait dû oublier d'appliquer les freins.

– C'est pas vrai, a bredouillé Bob. Je rêve.

Bouche ouverte, il contemplait sans comprendre le capot enfoncé de la voiture et l'immense trou dans ce qui, quelques minutes plus tôt, était une porte de garage.

– Bonjour, papa ! a crié Raphaël en allant vers lui.

Mon père s'est extirpé de la voiture en se frottant le bras.

– Bonjour, les enfants. Edison n'a rien?

– Penses-tu! Il a l'habitude.

Je me suis avancé vers Laurent.

– Papa, j'aimerais te présenter un ami.

Bob avait retraité au fond du garage et fixait mon père avec effroi.

– Qui est aussi électricien, ai-je précisé.

– Monsieur Doré? a dit Laurent en lui tendant la main.

Le plus naturellement du monde, comme si tout était normal, deux invités faisant connaissance dans un salon. Après un moment d'hésitation, Bob s'est essuyé la main sur son pantalon et a serré celle de Laurent. Raphaël a saisi son autre main.

– Tu répares aussi les voitures, monsieur?

– Vous êtes un ami de…? s'est enquis mon père, en nous interrogeant du regard.

– De Rachel, ai-je précisé. Un ami de Rachel. Un collègue, plutôt.

– Pour vous servir, a dit Bob en s'inclinant vers Laurent.

Il avait retrouvé tout son aplomb. Une voiture de police s'est stationnée devant notre maison. Un policier à l'air fatigué en est sorti. Il s'est avancé vers notre petit groupe.

– Alors? Qu'est-ce qui ne va pas, cette fois? a-t-il demandé en fixant la voiture à moitié encastrée dans la porte du garage.

– Mais rien, a répondu gentiment mon père. Rien du tout, monsieur l'agent. Tout va très bien.

Bob reculait silencieusement vers le fond du garage.

– Je vois, a soupiré l'agent.

– Oh, ça? a fait mon père en suivant son regard. Ce n'est rien, rien du tout. Une simple maladresse.

– Je vois, a répété l'agent, stoïque. Vous aviez une grosse faim, c'est ça? Vous aviez envie de rentrer plus vite et vous avez pensé que ce serait plus rapide si vous défonciez la porte de votre garage...

Il a fermé les yeux et inspiré à fond.

– ... au lieu de l'ouvrir comme ferait toute personne normale.

– Simple maladresse, a murmuré mon père.

– Si vous le dites, a conclu l'agent. À part ça, tout va bien?

– Très bien, très bien.

L'agent a hoché la tête en silence. Au moment de monter dans sa voiture, il s'est retourné.

– La prochaine fois, monsieur Sansoucy, faites-moi le plaisir de prévoir un petit casse-croûte, un petit en-cas pour calmer vos grosses fringales. Faites ça pour moi, d'accord?

– D'accord, a dit mon père.

Le policier parti, mon père s'est tourné vers Bob en se frottant les mains.

– Comme ça, vous êtes un collègue de Rachel? s'est-il exclamé, le sourire aux lèvres. Alors vous restaurez des œuvres d'art, vous aussi?

– Il restaure tout, a répondu Raphaël. Pas seulement les œuvres d'art.

Et nous l'avons bel et bien invité à dîner, Dieudonné Moisan, alias Bob Doré. J'ai sorti une ratatouille du congélateur et j'ai fait cuire des pâtes.

On s'est attablés et on a mangé en essayant de faire comme si de rien n'était, comme si on avait passé une avant-midi ordinaire, comme si notre voiture n'était pas coincée dans une porte de garage défoncée, comme si un arracheur de guichets automatiques n'était pas à nos côtés en train d'engloutir ses pâtes avec un louable appétit.

– Vous êtes *aussi* électricien ? a demandé Laurent entre deux bouchées.

Il y avait de quoi être intrigué. Avec Rachel comme unique référence, mon père devait trouver étrange d'avoir devant lui un restaurateur d'œuvres d'art qui répare les maisons au lieu de les démolir.

– Électricien depuis 18 ans, a répondu Bob. Dépanneur en tout genre depuis 4, a-t-il ajouté en adressant à mon père une œillade complice. Et vous ?

– Archéologue.

– Archéologue, tiens donc ! Dans vos temps libres seulement, j'imagine ?

Nouveau clin d'œil. Oh ! Seigneur !

– Non, a répondu Laurent. Archéologue, c'est mon métier.

Bob l'a fixé un moment sans rien dire.

– Votre fils m'a parlé de vos talents… un peu… particuliers…

Un sourire, large et avenant, est venu éclairer sa figure. Par comparaison, celui de mon père avait l'air un peu chiche.

– Ah oui, le pied !

– Le pied? Quel pied? s'est étonné Bob.

– Oh! Un pied de dilophosaurus, a répondu évasivement mon père, comme s'il s'agissait d'un pied de céleri.

– C'est un dinosaure qui courait sur deux pattes, a expliqué Raphaël. Mon père en a trouvé une.

– Un seul pied, a ajouté Laurent, piteux. En 20 ans de carrière!

Bob avait abandonné sa fourchette et se frottait le menton, pensif.

– Ça ne doit pas rapporter beaucoup, un seul pied, dites donc! C'est pour ça que vous avez des petits à-côtés?

Décidément!

– Des petits à-côtés?

– Ouais. Comme... comme Rachel. Elle aussi s'amuse bien, on dirait.

– Comment ça? s'est inquiété Laurent.

La curiosité avait fait place au soupçon. Laurent avait son air inquisiteur des grands jours, celui qu'il arbore chaque fois qu'un nouvel engin se brise dans la maison.

– Ben... elle aussi, elle restaure des pieds... a risqué Bob.

– Des nez, a rectifié Raphaël.

– Mais son vrai boulot est ailleurs, pas vrai?

– Je ne suis pas sûr de vous suivre, M. Doré. De quel boulot parlez-vous?

– Ben... les petits à-côtés, pardi! On peut pas passer son temps, comme ça, à refaire des pieds...

– Des nez!

– Je ne refais pas de pieds, cher monsieur, je suis archéologue, je me passionne pour ce qui se cache sous la matière.

– Ben ça tombe bien, moi aussi. Je savais bien que nous avions quelque chose en commun.

– Et ma femme restaure des œuvres d'art pour différents musées. Elle n'a pas d'autre boulot.

– Ben laissez-moi vous dire qu'en fait de restauration, ce que j'ai vu l'autre jour, c'était plutôt de la démolition en règle ! a gloussé Bob en avalant de travers.

La ratatouille s'est coincée dans sa gorge et Bob s'est mis à tousser.

– Une œuvre d'art, une vraie ! éructait-il, la main sur la bouche. Elle a inséré sa carte et pfuitt ! Tout s'est détraqué d'un coup.

Mon père avait les yeux exorbités. Bob tamponnait les siens.

– Quelle allure elle avait ! murmurait-il, admiratif. Quel chic ! Quelle élégance ! Professionnelle avec ça.

Vaguement énervé, mon père s'est levé pour débarrasser la table, ce qu'on appelle *débarrasser*. Il a agrippé son assiette, la nappe est venue avec et il a tiré : la table s'est débarrassée d'un coup.

– Quelle gaucherie, Seigneur ! Quelle impardonnable gaucherie !

On s'est tous levés pour ramasser les débris d'assiettes et de verres cassés. Edison léchait le parquet aromatisé à la ratatouille. Le premier moment de surprise passé, Bob a quitté la cuisine pour aller chercher son sac. Il en a sorti un petit aspirateur super puissant qui a tout avalé en moins de dix minutes. J'ai apporté le dessert, Laurent a offert le café.

– Quand Rachel rentrera, M. Doré, je lui dirai que vous êtes passé.

Il nous tournait le dos et s'affairait devant le comptoir.

– Elle ne m'a jamais parlé de vous, c'est bizarre.

– On ne se connaît pas beaucoup, a dit Bob. Pour tout dire, je ne l'ai rencontrée qu'une ou deux fois, mais elle m'a fait toute une impression.

Il avait le regard nébuleux, le genre de regard que Rachel et Laurent échangent parfois au-dessus de nos têtes. Dieudonné Moisan était-il, par hasard, tout bêtement amoureux de ma mère!?

Puis ce qui devait arriver est arrivé. La cafetière a eu un borborygme suivi d'une syncope. Mon père s'est tourné vers nous, penaud.

– Pas de café aujourd'hui, j'en ai peur. La cafetière donne des signes de fatigue depuis un certain temps.

Bob s'est levé et a examiné tour à tour la cafetière et Laurent.

– C'est vrai, ce qu'ils disent? Vous avez un réel pouvoir?

Mon père le regardait sans comprendre.

– Je vais faire du thé.

– Laisse, ai-je dit. Je m'en occupe.

Il m'a fait face, un tantinet exaspéré.

– Je suis tout de même capable de faire du thé, non?

Pas sûr. Il a agrippé la bouilloire d'une main impatiente et nous nous sommes rassis tous les trois sans insister. Edison faisait de l'asthme. Les yeux ronds, Raphaël attendait.

Le téléphone a sonné. Laurent est allé répondre: Rachel. Immobilisée en Papouasie, parce que le fameux coffret qui renfermait la statuette a explosé. Le serrurier n'a jamais réussi à débloquer la serrure, la perceuse utilisée pour en venir à bout a fait éclater et le coffre et la statuette. Jusque-là privée de nez, elle est à présent privée de tête. Rachel en a pour un mois et demi au moins à reconstituer le tout.

Cette fois, c'est l'odeur qui nous a alertés. Une odeur de métal brûlé, accompagnée d'une fumée nauséabonde. Laurent avait dû brancher la bouilloire sans la remplir.

La maison a pris feu. Enfin, non, pas *toute* la maison. Seulement la cuisine et encore, pas *toute* la cuisine, seulement un coin, le coin où se trouvent la bouilloire, le grille-pain, la cafetière, les épices et Edison, qui a filé au salon.

Bob a poussé Laurent. Il a jeté la bouilloire dans l'évier et éteint les flammes. La bouilloire a crépité un long moment avant de rendre l'âme.

– Tu répares aussi les bouilloires, monsieur? s'est enquis Raphaël.

Sans répondre, Bob a empoigné son sac et s'est rué sur la porte. Je l'ai suivi.

Il s'est tourné vers moi.

– C'est trop! a-t-il explosé. Mais qu'est-ce qui se passe ici? Jamais vu ça, moi. Pouvoir ou pas, je suis pas intéressé à travailler avec eux. Des plans pour perdre ma crédibilité!

La porte a tremblé sur ses gonds quand il l'a refermée derrière lui.

Deux minutes plus tard, les pompiers, alertés par Edison, faisaient une nouvelle entrée fracassante dans notre maison enfumée.

MOT SUR L'AUTEURE

Hélène Vachon vit en assez bons termes avec les appareils électriques. Mais contrairement aux parents de Manuel et de Raphaël, qui ne comprennent pas toujours pourquoi les engins fonctionnent, Hélène Vachon, elle, ne comprend pas pourquoi *ils ne fonctionnent pas toujours*. Dans les deux cas, le résultat est le même : les engins se détraquent et meurent, de mort naturelle (parents débranchés), ou provoquée (impatience de l'auteure, c'est elle qui le dit).

S'ils ne fonctionnent pas toujours, c'est parce qu'ils sont comme nous : autonomes, susceptibles et assoiffés de pouvoir. Les détecteurs de fumée se déclenchent sans raison, les ordinateurs exécutent des commandes que vous n'avez pas demandées et les ceintures de sécurité couinent alors que vous avez encore un pied en dehors de la voiture...

Malgré ces petits inconvénients (et sa patience limitée), l'auteure suggère de ne pas affronter directement ces minirobots de la vie moderne, mais de négocier avec eux. Comment? (Ici, l'auteure hésite). En leur parlant (peut-être). En les flattant (au moins ça les nettoie). En les arrosant (pas sûr). Toute autre suggestion serait bien accueillie.

Qu'on les malmène ou qu'on les dorlote, ils se brisent sans crier gare et nous laissent tomber aux pires moments.

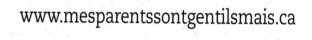
www.mesparentssontgentilsmais.ca

Mes parents sont gentils mais...

ILLUSTRATRICE: MAY ROUSSEAU

Série Brad

Auteure : Johanne Mercier
Illustrateur : Christian Daigle

www.legeniebrad.ca

Le Trio rigolo

AUTEURS ET PERSONNAGES :

JOHANNE MERCIER – LAURENCE
REYNALD CANTIN – YO
HÉLÈNE VACHON – DAPHNÉ

ILLUSTRATRICE : MAY ROUSSEAU

1. Mon premier baiser
2. Mon premier voyage
3. Ma première folie
4. Mon pire prof
5. Mon pire party
6. Ma pire gaffe
7. Mon plus grand exploit
8. Mon plus grand mensonge
9. Ma plus grande peur
10. Ma nuit d'enfer
11. Mon look d'enfer
12. Mon Noël d'enfer
13. Le rêve de ma vie
14. La honte de ma vie
15. La fin de ma vie
16. Mon coup de génie
17. Mon coup de foudre
18. Mon coup de soleil
19. Méchant défi !
    (printemps 2011)
20. Méchant lundi !
    (printemps 2011)
21. Méchant Maurice !
    (printemps 2011)

www.triorigolo.ca